LES DINOSAURES

Stephanie Turnbull
Maquette : Zöe Wray
Illustrations : Tetsuo Kushii

Autres illustrations : Uwe Mayer
Expert-conseil : Dr Neil D. L. Clark,
Hunterian Museum, Université de Glasgow

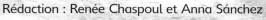

Pour l'édition française :
Traduction : Pascal Varejka
Rédaction : Renée Chaspoul et Anna Sánchez

Sommaire

Il y a longtemps

Les dinosaures sont des animaux qui ont vécu il y a des millions d'années, bien avant l'apparition des humains.

Voici une famille d'apatosaures.

Il y avait des milliers de dinosaures différents.

Quel genre d'animal ?

Un dinosaure est une sorte de reptile. Les reptiles sont des animaux à la peau écailleuse, comme les crocodiles et les lézards.

Ce dinosaure est un allosaure.

Peau
écailleuse

Queue très robuste

Certains dinosaures vivaient plus de 100 ans.

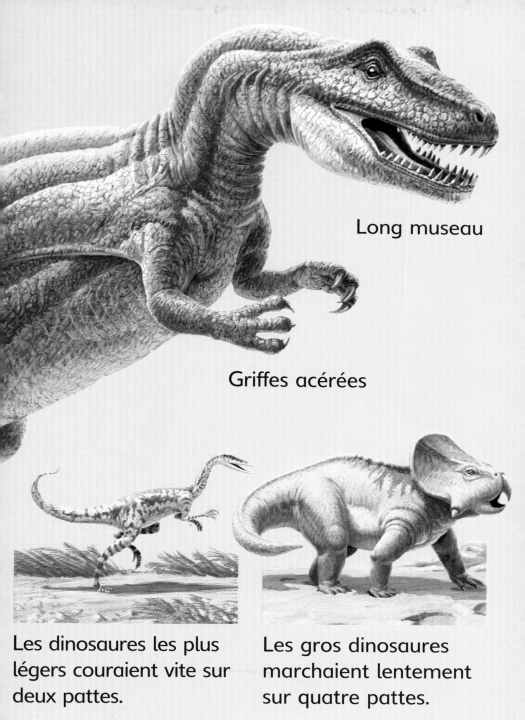

Long museau

Griffes acérées

Les dinosaures les plus légers couraient vite sur deux pattes.

Les gros dinosaures marchaient lentement sur quatre pattes.

Le monde d'alors

À l'époque des dinosaures, il y avait beaucoup plus de forêts, de déserts et de rivières qu'aujourd'hui.

Ces dinosaures sont des anatotitans. Ils vivaient dans les forêts et buvaient l'eau des rivières.

À l'époque des dinosaures, il faisait bien plus chaud qu'aujourd'hui.

Il y avait également d'autres animaux. Des
reptiles aux grandes ailes volaient dans le ciel.

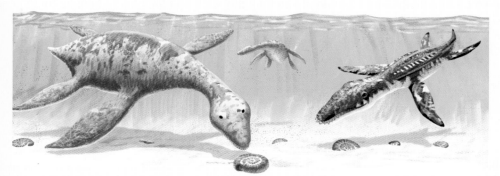

Toutes sortes de reptiles à l'apparence étrange
vivaient dans les mers et les rivières.

Il y avait aussi beaucoup d'insectes et des petits
animaux comme on en voit aujourd'hui.

Des grands et des petits

Certains dinosaures ont été les plus gros animaux ayant jamais vécu hors de l'eau. D'autres étaient très petits.

On appelle cet énorme dinosaure un brachiosaure. Il était plus lourd que 15 éléphants.

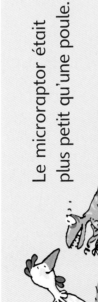

Le microraptor était plus petit qu'une poule.

Diplodocus

Compsognathe

Tyrannosaure

Cette image te donne une idée de la taille des dinosaures par rapport à un être humain.

Des herbivores

Beaucoup de dinosaures étaient herbivores. Ils passaient toute la journée à manger des feuilles.

Le stégosaure avait l'air terrifiant, mais il ne mangeait que des plantes.

Il se servait de sa bouche dure semblable à un bec pour arracher les feuilles.

Les dinosaures au long cou pouvaient atteindre les hautes branches.

Ils pouvaient aussi s'en servir pour saisir des plantes à distance.

Ce crâne appartenait à un psittacosaure. Son bec osseux lui permettait de trancher les tiges.

Certains herbivores avaient des milliers de dents pour broyer les feuilles et les brindilles.

De féroces chasseurs

Certains dinosaures étaient carnivores. Ils mangeaient des lézards, des serpents et d'autres animaux. Ils attaquaient également souvent d'autres dinosaures.

Des carnivores comme les troodons étaient toujours à la recherche d'animaux à chasser.

Beaucoup de carnivores avaient d'énormes mâchoires.

Les dinosaures les plus dangereux étaient parfois les plus petits. Ils chassaient en groupe.

Ils étaient très rapides et pouvaient donc facilement s'attaquer à de lourds herbivores.

Les chasseurs se jetaient sur leur proie et la déchiraient de leurs dents acérées.

Les griffes

Les mains et les pieds des dinosaures carnivores avaient de longues griffes acérées.

Cette énorme griffe recourbée appartenait à un baryonyx.

Le baryonyx se servait de ses griffes pour saisir les poissons dans l'eau.

Le vélociraptor relevait ses griffes en marchant pour qu'elles restent aiguisées.

Au cours d'un combat, il jetait ses griffes en avant pour blesser son ennemi.

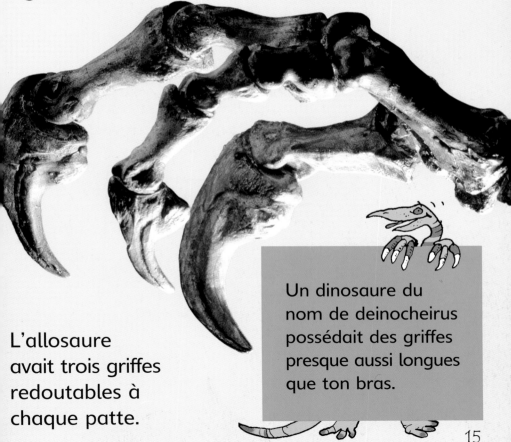

L'allosaure avait trois griffes redoutables à chaque patte.

Un dinosaure du nom de deinocheirus possédait des griffes presque aussi longues que ton bras.

Le roi des dinosaures

Le tyrannosaure était l'un des dinosaures les plus grands et les plus terrifiants. Il aurait pu te dévorer en une seule bouchée.

Le tyrannosaure passait son temps à rôder dans la forêt.

Il se jetait sur ses victimes, son énorme gueule grande ouverte.

Il avait près de 50 longues dents pointues capables de broyer les os.

Le tyrannosaure était si féroce qu'aucun animal n'osait lui voler ses proies.

Le tyrannosaure était énorme, mais il avait des pattes avant minuscules. On ne sait pas pourquoi elles étaient si petites.

La vie en groupe

Beaucoup de dinosaures herbivores formaient de grands troupeaux.

Ils se protégeaient mutuellement de leurs ennemis.

Ces dinosaures sont des hadrosaures. Certains hadrosaures avaient de grandes cornes creuses sur la tête.

Les hadrosaures pouvaient souffler de l'air dans leur corne.

Cela produisait un son strident qui avertissait les autres du danger.

Il est probable que les troupeaux de grands dinosaures saccageaient la végétation sur leur passage.

Ne t'approche pas !

Certains dinosaures avaient des moyens efficaces pour se protéger de leurs ennemis.

L'euoplocéphale pouvait frapper les agresseurs avec la lourde massue osseuse de sa queue.

Son corps était couvert de plaques dures, trop épaisses pour pouvoir mordre à travers.

La crête osseuse du tricératops lui donnait l'air imposant et féroce.

Albertosaure

Il pouvait aussi charger ses ennemis avec ses longues cornes pointues.

Euoplocéphale

Quelques dinosaures avaient un crâne extrêmement dur et se donnaient de violents coups de tête.

Œufs et bébés

Les bébés dinosaures sortaient d'un œuf.

1. La mère creusait un nid et pondait une vingtaine d'œufs.

2. Elle couvrait les œufs de feuilles pour les tenir au chaud.

3. Le bébé faisait un trou dans la coquille et sortait de l'œuf.

4. Il quittait le nid et se mettait à chercher de quoi manger.

Certains dinosaures s'occupaient de leurs petits. Ils empêchaient d'autres dinosaures de les manger.

Les œufs de dinosaures pouvaient être petits et ronds ou longs et fins.

Que sont-ils devenus ?

Les dinosaures ont vécu des millions d'années, puis ont disparu brusquement. On ignore pourquoi.

Beaucoup de savants pensent qu'une énorme roche venue de l'espace s'est écrasée sur la Terre.

Le choc a fait trembler et se fissurer le sol. De gigantesques incendies ont éclaté.

La poussière a rendu la Terre trop sombre et trop froide pour les dinosaures.

Les volcans sont entrés
en éruption. Les plantes
sont mortes, privant les
dinosaures de nourriture.

Tous les animaux
ne sont pas morts.
Certains ont dû se
cacher en attendant
de pouvoir sortir
sans risque.

Les os enterrés

Les scientifiques trouvent des os de dinosaures dans le sol. On appelle les os qui se sont transformés en pierre des fossiles.

1. Un dinosaure est mort. Il ne reste bientôt plus que son squelette.

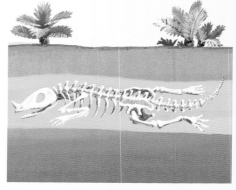

2. Il est recouvert de boue qui, lentement, se transforme en roche.

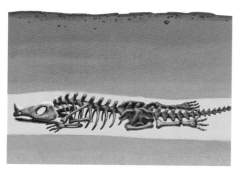

3. Au bout de milliers d'années, les os se sont transformés en fossiles.

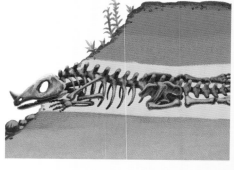

4. La roche s'use peu à peu, laissant apparaître les fossiles.

Ce chercheur de fossiles a découvert le pied d'un très grand dinosaure, un jobaria.

Il débarrasse les os de la terre à l'aide d'une brosse.

On trouve sans arrêt des fossiles de dinosaures. Il y en a peut-être dans le sol sous tes pieds !

Reconstituer le puzzle

Si les savants trouvent beaucoup d'os d'un même dinosaure, ils essaient de les assembler.

Ils cherchent la place de chaque os. C'est un peu comme un puzzle géant.

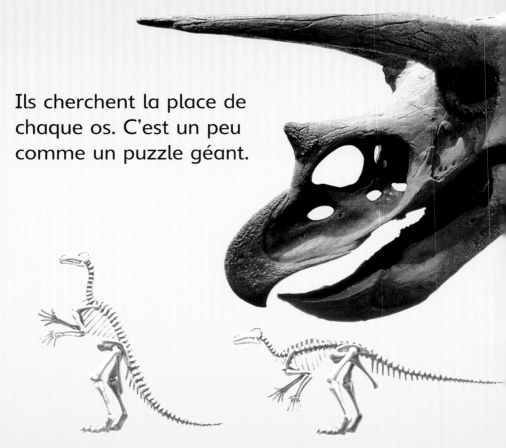

Avant, on imaginait les dinosaures redressés, la queue courbée.

Maintenant, on sait qu'ils se tenaient la queue bien droite.

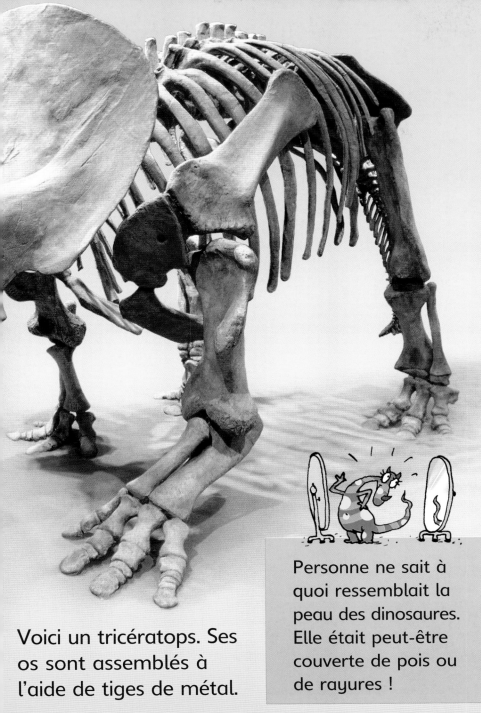

Voici un tricératops. Ses os sont assemblés à l'aide de tiges de métal.

Personne ne sait à quoi ressemblait la peau des dinosaures. Elle était peut-être couverte de pois ou de rayures !

Vocabulaire de dinosaure

Voici la liste de quelques-uns des mots utilisés dans ce livre, avec leur définition. Peut-être ne les connaissais-tu pas.

 peau écailleuse : peau couverte d'un grand nombre de minuscules plaques fines.

 museau : le nez et la bouche d'un animal. La plupart des dinosaures avaient un museau long et fin.

 griffe : pointe recourbée à l'extrémité du doigt ou de l'orteil d'un animal.

 proie : animal que d'autres animaux chassent pour le manger.

 troupeau : groupe d'animaux vivant et se nourrissant ensemble.

 éclosion : les dinosaures naissaient en brisant la coquille de leur œuf. On appelle cela l'éclosion.

 fossile : os ou autre partie d'un animal qui se sont transformés en pierre.

Sites Web

Si tu as un ordinateur, tu peux chercher sur Internet d'autres informations sur les dinosaures. Sur le site Quicklinks d'Usborne, tu peux déjà te connecter aux sites suivants :

Site 1 : Découvre un petit musée, ainsi que des jeux et des histoires sur les dinosaures.

Site 2 : Imprime et colorie trois dinosaures.

Site 3 : Reconstitue un puzzle de dinosaure.

Site 4 : La visite virtuelle d'un musée consacré aux dinosaures.

Pour te connecter à ces sites, va sur **www.usborne-quicklinks.com/fr**, clique sur le titre du livre, puis sur le lien du site Web qui t'intéresse. Avant de commencer à utiliser Internet, lis les conseils de sécurité donnés à la fin du livre et demande à un adulte de les consulter avec toi.

Index

Remerciements

Rédactrice en chef : Fiona Watt, Directrice de la maquette : Mary Cartwright
Maquette de la couverture : Nicola Butler
Manipulation photo : John Russell, Mike Olley et Neil Guegan

Crédit photographique

Les éditeurs remercient les personnes et organismes suivants pour l'autorisation de reproduire leurs documents : © **Corbis** 1 (Danny Lehman), 15 (Michael S. Yamashita), 16 (Layne Kennedy), 25 (James A. Sugar), 28-29 (Paul A. Souders) ; © **Digital Vision** Fond de la couverture ; © **The Natural History Museum, Londres** 11, 14, 31 Squelette de l'albertosaure ; © **Mike Hettwer/Project Exploration** 29 ; © **Science Photo Library** Tyrannosaure de la couverture (Roger Harris)